Pour Faye Theresa,
ma petite nièce
T.C.

L'édition originale de cet ouvrage
a été publiée en 1994 en Grande-Bretagne
par Walker Books Ltd sous le titre :
SO MUCH
Text © 1994 Trish Cooke
Illustrations © 1994 Helen Oxenbury
All rights reserved.
Pour la traduction française :
© 1995 Père Castor Flammarion
ISBN : 2-08160976-2
Imprimé en Chine – 11/2005
Dépôt légal : février 1995 – N° d'éditeur : 0976

Loi n°49-956 du 16 juillet 1949 sur les publications destinées à la jeunesse.

Très, très fort !

Trish Cooke

**illustrations de
Helen Oxenbury**

**Texte français de
Rose-Marie Vassallo**

Père Castor
Flammarion

Ils ne font rien de spécial,
Maman et Petit Homme,
non, rien de spécial…

Quand tout à coup,
DING DONG ! on sonne.
– Houhou ! c'est moi, dit une voix.

Maman regarde la porte,
Petit Homme regarde Maman.
Et qui voilà ?

C'est Tante, Tante Béa !
Elle ouvre tout grand les bras
avec un grand, grand sourire
et elle s'écrie :

– Oh ! le petit homme !
Je veux le serrer dans mes bras,
je veux le serrer fort,
TRÈS, TRÈS FORT !

Elle met Petit Homme
sur son genou et chantonne :
– Au pas, au pas.
Au galop, au galop !
Puis elle lui lit une histoire.
«Mmmmmm…»

Ils ne font rien de spécial,
Maman et Petit Homme,
Petit Homme et Tante Béa,
non, rien de spécial…

Quand tout à coup,
DING DONG ! on sonne.
– Salut, c'est moi ! dit une voix.

Maman regarde la porte,
Tante Béa regarde Petit Homme,
Petit Homme regarde Maman.
Et qui voilà ?

C'est l'Oncle, l'Oncle Tony !
Il entre en levant les sourcils,
il fait sa bouche toute ronde
et il s'écrie :

– Oh ! le petit homme !
Je veux lui faire un gros bisou,
je veux le faire voler dans les airs,
je veux l'embrasser fort,
TRÈS, TRÈS FORT !

Et il prend Petit Homme
sur ses épaules. Houlà !
que c'est haut, que ça tremble !
Et il se penche en avant.
Hé ! ça glisse !
Mais Petit Homme s'agrippe
et tient bon.
«Ouaaaaaa…»

Ils ne font rien de spécial,
Maman et Petit Homme,
Tante Béa et l'Oncle Tony,
non, rien de spécial...

Quand tout à coup,
DING DONG ! on sonne.
– Youhou ! c'est moi !
dit une voix.
– Youhou ! c'est moi !
dit une autre voix.

Maman regarde la porte,
l'Oncle Tony regarde Tante Béa,
Tante Béa regarde Petit Homme,
Petit Homme regarde Maman.
Et qui voilà ?

C'est Mamie, Mamie et Grand-Ma.
Chacune a son sac à main
et son parapluie au bras,
et chacune s'écrie :

– Youhou, bonjour !
Oh ! le petit homme !
Je veux le croquer,
je veux le manger,
je veux le dévorer
TOUT CRU, TOUT CRU, TOUT CRU !

Et elles l'embrassent fort,
elles lui font de gros câlins,
elles le font chanter, danser.
Et Petit Homme se sent si bien
après avoir tant fait le fou
qu'il a presque envie de dormir…
«ZZZZZZ…»

Ils ne font rien de spécial,
Maman et Petit Homme, Tante Béa
et l'Oncle Tony, Mamie et Grand-Ma,
non, rien de spécial…

Quand tout à coup,
DING DONG ! on sonne.
Et une voix dit :
– Pan ! pan ! Haut les mains !

Maman regarde la porte,
Mamie regarde Grand-Ma,
Grand-Ma regarde l'Oncle Tony,
l'Oncle Tony regarde Tante Béa,
Tante Béa regarde Petit Homme.
Et qui voilà ?

C'est Cousin Dan,
et ce bon gros Cousin Pat.
Cousin Dan fait tourner
sa casquette sur un doigt,
et zouip, et zouip !
Il galope sur un cheval invisible,
cataclop, cataclop !
Et il s'écrie :

– Pan, pan ! Oh ! le petit homme !
Je veux me bagarrer avec lui,
je veux me battre avec lui, fort,
TRÈS, TRÈS FORT !

Et ils se battent tous les deux,
ils se bagarrent fort, très fort.
Cousin Dan boxe Petit Homme,
Petit Homme répond d'un grand coup.
Cousin Dan lui donne une pichenette,
Petit Homme la lui rend d'une tape.
Et ils rient, tous deux, comme ils rient !
Ils rient à en perdre le souffle.
«Hi hi hi hi !»

La maison est pleine à craquer,
et chacun s'assied où il peut,
en attendant le prochain DING DONG.

Tout le monde attend,
mais rien ne vient. Et Maman dit :
– Quelqu'un veut quelque chose ?

Cousin Dan et Petit Homme
recommencent à se bagarrer.
Mamie et Grand-Ma jouent aux cartes,
l'Oncle Tony n'arrête pas de tricher.
Tante Béa met de la musique très fort.
Et Maman dit :
– Quel cirque !

Ils ne font rien de spécial,
Maman et Petit Homme, Tante Béa
et l'Oncle Tony, Mamie et Grand-Ma,
Cousin Dan et gros Cousin Pat,
non, rien de spécial…

Quand tout à coup,
DING DONG! on sonne.
– C'est moi ! dit une voix.

Alors chacun se lève.
Maman prend Petit Homme dans ses bras.
Tout le monde attend derrière la porte…

Et tout le monde s'écrie à la fois :
– Surprise, surprise !
Maman dit :
– Bon anniversaire, Papa !
et tout le monde répète :
– BON ANNIVERSAIRE !

Alors Papa caresse de sa barbe
la joue de Petit Homme,
et Maman apporte à table
les bonnes choses
qu'elle a préparées…

Et c'est la fête à la maison !

Mais quand tout le monde
est bien fatigué,
quand vient l'heure de se quitter,
Petit Homme voudrait jouer encore,
encore un peu, rien qu'un peu.
Maman dit «Non !»,
et elle le met au lit, mais…

…dans son lit, Petit Homme joue.
Il saute et saute avec son ours,
et dans sa tête il entend encore :

«Je veux le serrer fort,
TRÈS, TRÈS FORT !
Je veux l'embrasser fort,
TRÈS, TRÈS FORT !
Je veux le dévorer
TOUT CRU, TOUT CRU, TOUT CRU !
Je veux me battre avec lui, fort,
TRÈS, TRÈS FORT !»

Et Petit Homme
sait bien pourquoi.

C'est parce que
tout le monde l'aime,
TRÈS, TRÈS FORT !